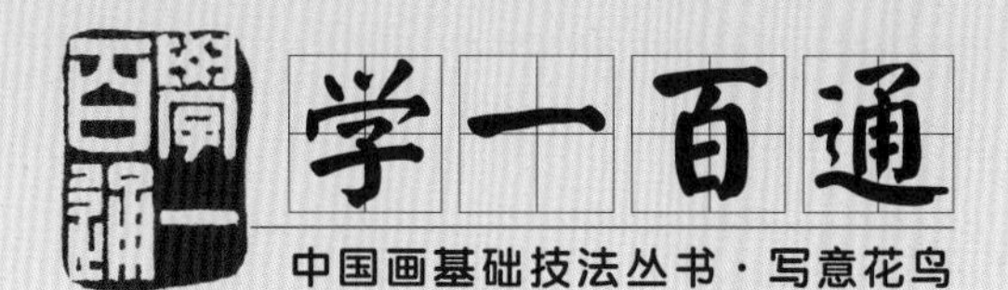

中国画基础技法丛书·写意花鸟

藤本

TENGBEN 黄忠耿◎著

ZHONGGUOHUA JICHU JIFA CONGSHU·XIEYI HUANIAO

广西美术出版社

序

中国画艺术是中国传统文化的一个特殊的艺术样式和符号，它是中国传统文化及审美精神的载体，有着鲜明的艺术特色和强烈的视觉审美特征，是东方艺术的主要代表形式。中国画艺术随着中华文明的发展而发展，源远流长。虽然到了魏晋南北朝，才有较明显的形式特征，但其作为中华文明史的绘画形态，可上溯到人类文明的早期。隋唐以降，中国画艺术更是繁荣发展，成为与西方绘画并立的人类艺术发展的重要的绘画形式。中国画艺术强调“写意精神”，通过“应物象形”写心中之情怀，达“气韵生动”，表达精神意境的审美目的。其语言主要因素——笔与墨，在千变万化的表现中呈现出独特的视觉审美特点，笔墨“传神”而见精神。因此，掌握笔墨的变化，是学习中国画艺术的基本要求。

《芥子园画谱》是人们熟悉的学习中国画的入门指南，古代没有专门的艺术院校，只有师徒的传授和学习《芥子园画谱》。如今，艺术学院林立，但学习传统中国画，仍须从传统经典范本及《芥子园画谱》中的法则学习。因时代发展和中国画的发展，原有的范本已不太适合和满足人们的学习需求，所以，各类中国画的基础入门辅导书刊应运而生，但因为编者的艺术修养有限，质量参差不齐。

黄忠耿老师是岭南画派第二代代表画家黄独峰先生之子，从幼跟随其父习画，几十年如一日，研究中国画艺术，形成了自己的艺术风格并取得不俗的艺术成就。他长期在广西艺术学院任教，同时担任广西艺术学院成人教育学院副院长、教授，积累了丰富的教学经验。这套国画技法类教材，是他在自己艺术创作及教学实践中总结整理出来的经验，有较强的针对性和较直观易学的特点，特别是他撰著的《学一百通·写意花鸟画基础技法丛书》（《梅花》、《牡丹》、《鱼类》、《木本》、《禽鸟》、《藤本》共六册），更因多为他对中国画研究的心得之述，所以更为生动，深入浅出，易于学习。这套教材可作为学习中国画艺术的学生、爱好者一个很好的入门范本。现在，广西美术出版社出版黄忠耿老师这套丛书的修订本，因作者作为有较高艺术造诣的专家，而且编写内容以易懂易学、入门层次高的效果赢得读者的欢迎和好评，并在社会上产生了较广泛的影响。

一个好画家未必是一个好教师，因为创作和教人是两回事，但黄忠耿老师不但创作丰硕，还潜心教学，硕果累累。他同时把教育作为自己的执着事业，在市场大潮激荡的今天，这种淡泊名利的追求，可贵可敬！这种以传承中国画艺术为己任的担当和使命，一个知识分子的良知和品德昭然可见！衷心地祝贺黄忠耿老师著作再版，也期待着他有更多的作品奉献给广大读者。是为序。

谢 麟

2015年3月10日

（作者系广西美术家协会主席）

一、藤本概述

藤本植物品种繁多，有富观赏性美丽花朵的紫藤、凌霄、牵牛花等，也有富田园诗意的瓜果类植物，瓜类如丝瓜、葫芦、南瓜等，果类如葡萄、野果等，加上富有生机的春藤，暗含沧桑的秋藤等，俱为人们所喜闻乐见。此外，藤本植物藤条互相纠缠穿插，形成了变化多端的线条构成，可引起作者的无限想象，线条丰富变化更是画家在构图和用笔上可尽情发挥的对象。

藤本植物按藤的性质可分为草本藤和木本藤两大类型，然而每一种藤本植物都有自己的特点，如同为木本植物的凌霄枝干多凌空，紫藤枝干可画得很粗壮，葡萄枝干相对要纤细一些；同为草本的牵牛花枝条较为娇弱，而南瓜枝条就粗壮多了，所以平时要通过观察写生才能较好、较准确地表现你所要描绘的对象。

历代画家以藤本植物为题材的作品很多，各家各派在画法上也各有所长，并且都具有各自的风格，这是画家经过长期的艺术实践所总结出来的表现方法和艺术语言。但是所有的画法归结起来不外两大类型：没骨法和勾勒法。为了便于学习，本书把藤类植物藤的几种常见画法先做介绍，掌握之后可灵活运用到你的作品中去。画写意藤时不可拘泥于藤的造型而是要大胆落笔，挥洒自如，让富于变化的线条组成有美感、有节奏的线条构成，让线条美发挥到一定的境界。

藤本实物照片

二、藤本植物的画法

（一）细藤的画法

由于藤本植物种类繁多，各有特点，因此最好能通过写生和观察掌握描绘对象的特点，下面介绍常见的藤类画法：

说明：下面两种细藤的画法，多用于草本藤，如画牵牛花等。木本细藤，也可用这两种方法。

① 中锋用笔画出有浓淡、疏密变化的线条，线条分割出来的空间不要相等，让线条构成有疏密节奏的画面，下面各种藤本画法均要求如此。

② 拖笔画出的细藤。

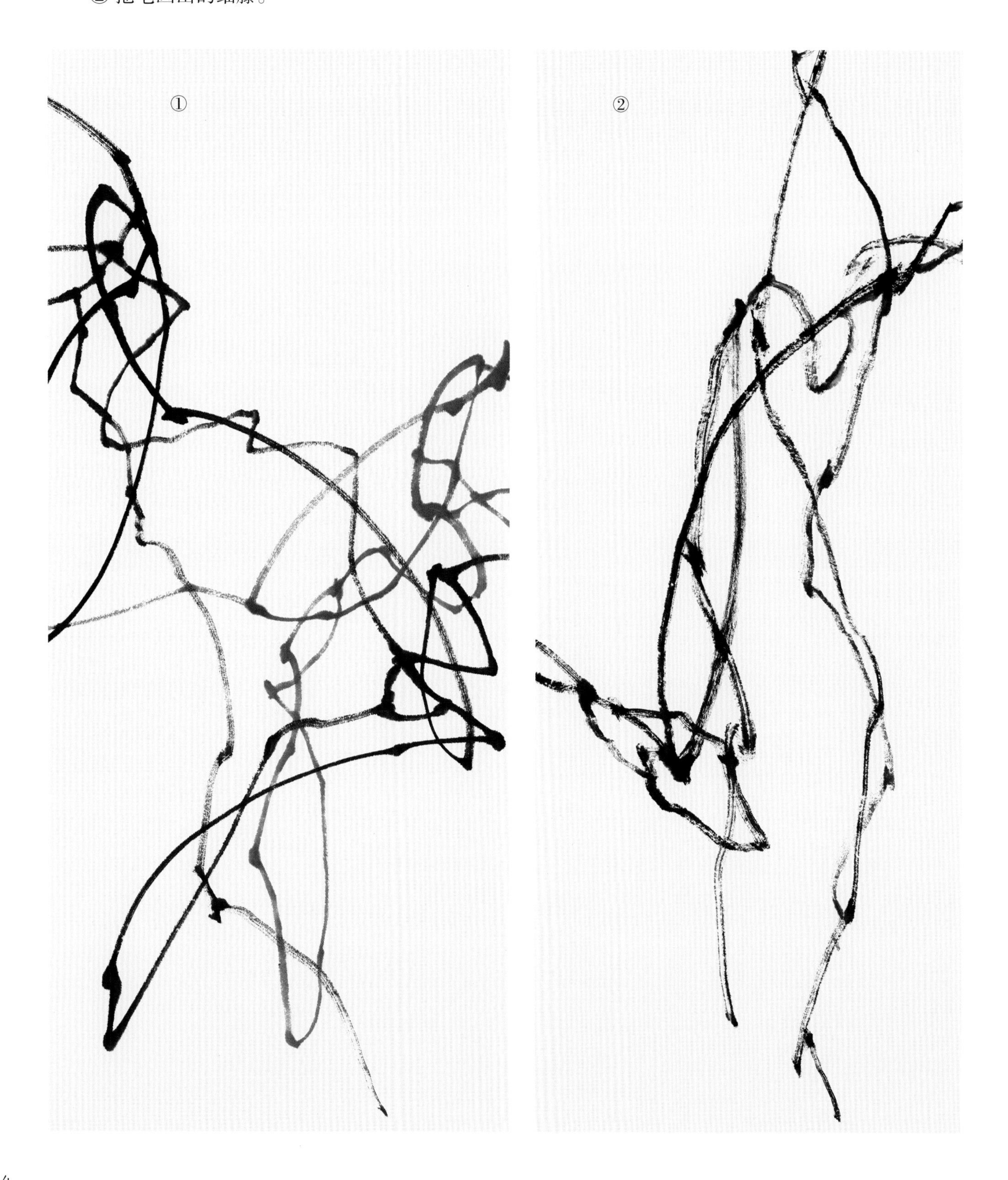

（二）木本藤的画法

①没骨法：用笔要大胆流畅，线条有粗细疏密的变化，墨色要求有干湿、浓淡的变化。

②勾勒法：木本藤有些很粗大，可用勾勒法来表现，先勾出藤的轮廓，再用皴擦表现藤的质感。需要时可染色和点苔等。

③湿勾法：先用没骨法画藤，趁湿勾出轮廓，有特殊的效果。

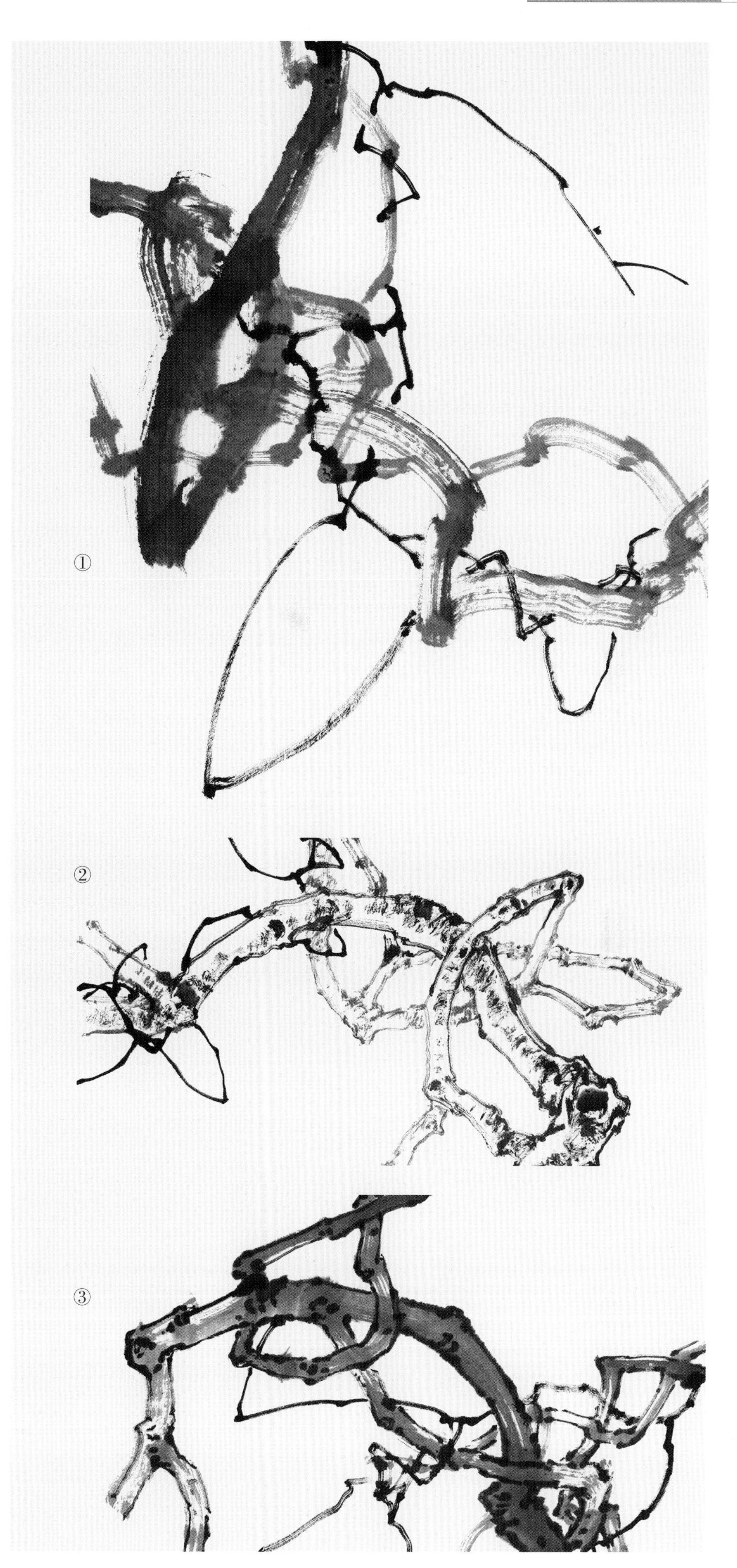

（三）紫藤画法

1. 花的画法

（1）点写法（没骨法）

① 紫藤花形如蝴蝶，可用四笔画成：上面两笔较大用色略淡，下面两小笔用色较浓，上面较大两笔用色最好有浓淡的变化，画成后用黄色（白色调藤黄）点出花的斑纹。花的紫色可用酞菁蓝调曙红或花青调胭脂等调出。② 夸张变形的画法：用有变化的色点构成代替具象花的构成，另有一种趣味。③ 成串花要注意花的疏密组织、花的方向变化和色彩的浓淡变化，成串花的下部用色可浓些，上部用色淡些。白花藤萝的画法与紫藤相同，但完成后一般要用淡色或淡墨来衬托使其突出。

（2）勾勒法

用线条勾出花的形状，要注意用笔，完成后点花的斑纹和用色衬托，使花突出。

（3）勾勒填色法

用墨或色勾花后填色即可，填色必须有浓淡的变化。

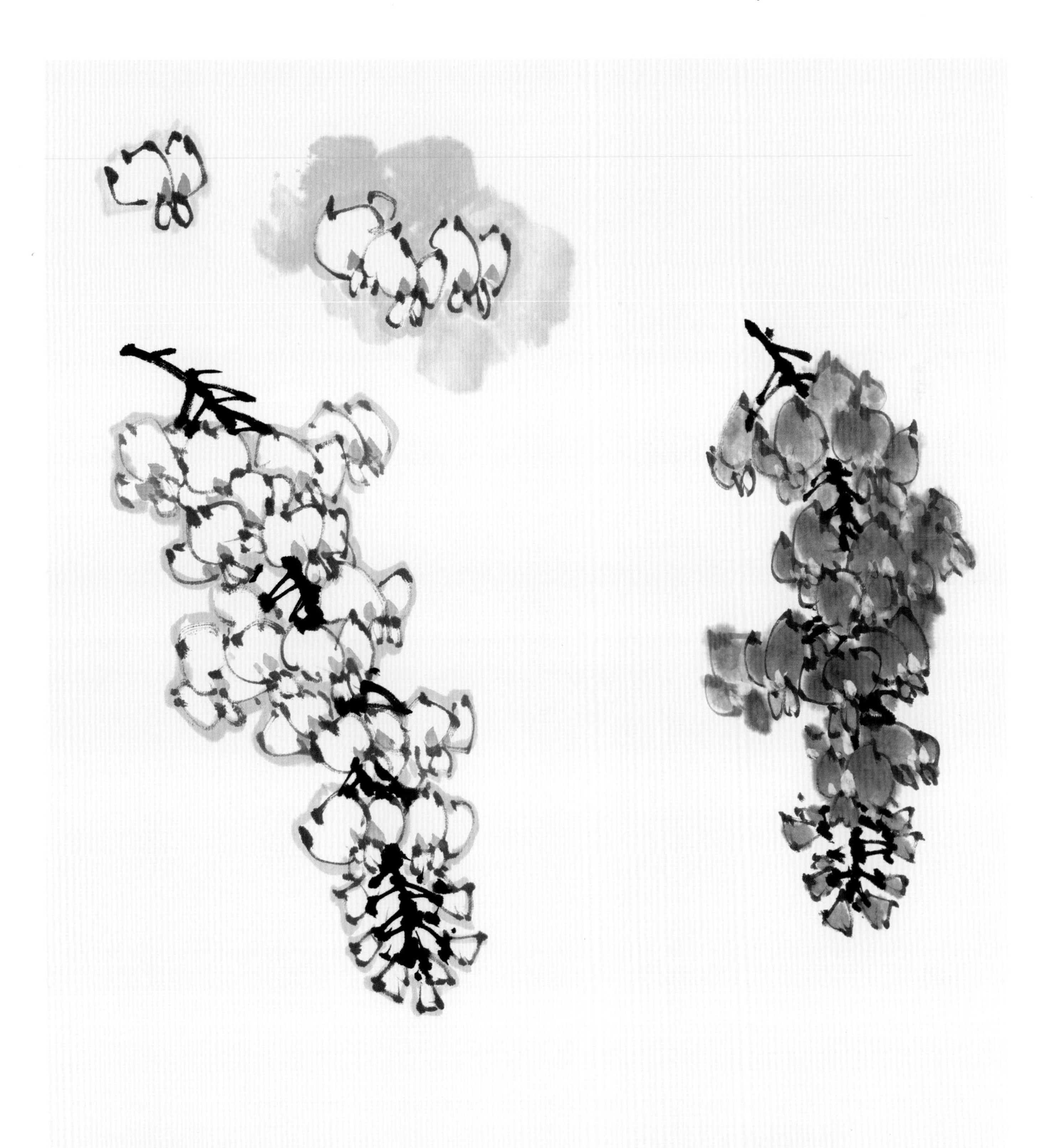

勾勒法

勾勒填色法

2. 叶的画法

紫藤叶子结构为羽状叶，叶的画法分没骨法和勾勒法两种。

没骨法：用有变化的墨或色画出叶子的形状，然后用较浓的墨或色勾出叶脉，叶脉的画法有实勾和虚勾等。

勾勒法：用线勾出叶子的形状，画完后可衬托，也可填色。

用没骨法画叶子

用勾勒法画叶子

3. 各种花头画法

（四）凌霄花的画法

1. 花的画法

注意：点写时要注意用笔的方法，要有写的感觉，不要涂成一朵花，这样会显得不流畅，不活泼，还要注意色彩的浓淡变化。

（1）先调朱磦笔尖点曙红画出花和花苞的形状，用胭脂色画花脉，用花青加藤黄调出绿色笔尖点曙红或胭脂，画出花托、花枝等。最后点花心（白色调藤黄）并用淡绿色衬托。（说明：花心也可用其他颜色来画，如用墨来点）

（2）整串凌霄花的画法：凌霄花为穗状花，画时注意花之间的疏密变化、前后变化以及花的方向变化，画时可把花分组。

2. 叶的画法

（1）凌霄叶羽状叶画法类似紫藤叶子（略大）。

（2）多片叶子的组合：注意叶子的方向变化、墨色变化、叶子间的前后关系及其虚实的处理。

说明：凌霄藤为木本藤，可参照前面藤的画法。

（五）牵牛花的画法

牵牛花为草本细藤，花有多种颜色，为连瓣花，画时要注意其特点。

花的画法：先调出所需颜色，笔在点色时要有浓淡变化，然后用侧锋画出花瓣，注意其连瓣的特点。

叶的画法：叶有三个尖，叶脉可简化，几片叶子组合时注意叶子之间的关系，如前后浓淡等，不可每片叶子都完整地摆在画面上。

（六）瓜类（丝瓜、葫芦）和葡萄的画法

瓜类和葡萄的叶子俱为掌形叶，有五个尖，写意画法大同小异。

① 画叶时一般使用侧锋，行笔方向既可从里往外画，亦可从外往里画，颜色可用色点墨，也可全用墨画出。

② 叶脉几种不同类型的勾法都可以使用，但同一幅画里的同一株植物要用同一的叶脉画法。

③ 叶子组合举例。

丝瓜画法：用藤黄调花青画出有浓淡变化的丝瓜形状作为底色，趁湿用墨勾出外轮廓，最后补花和枝。

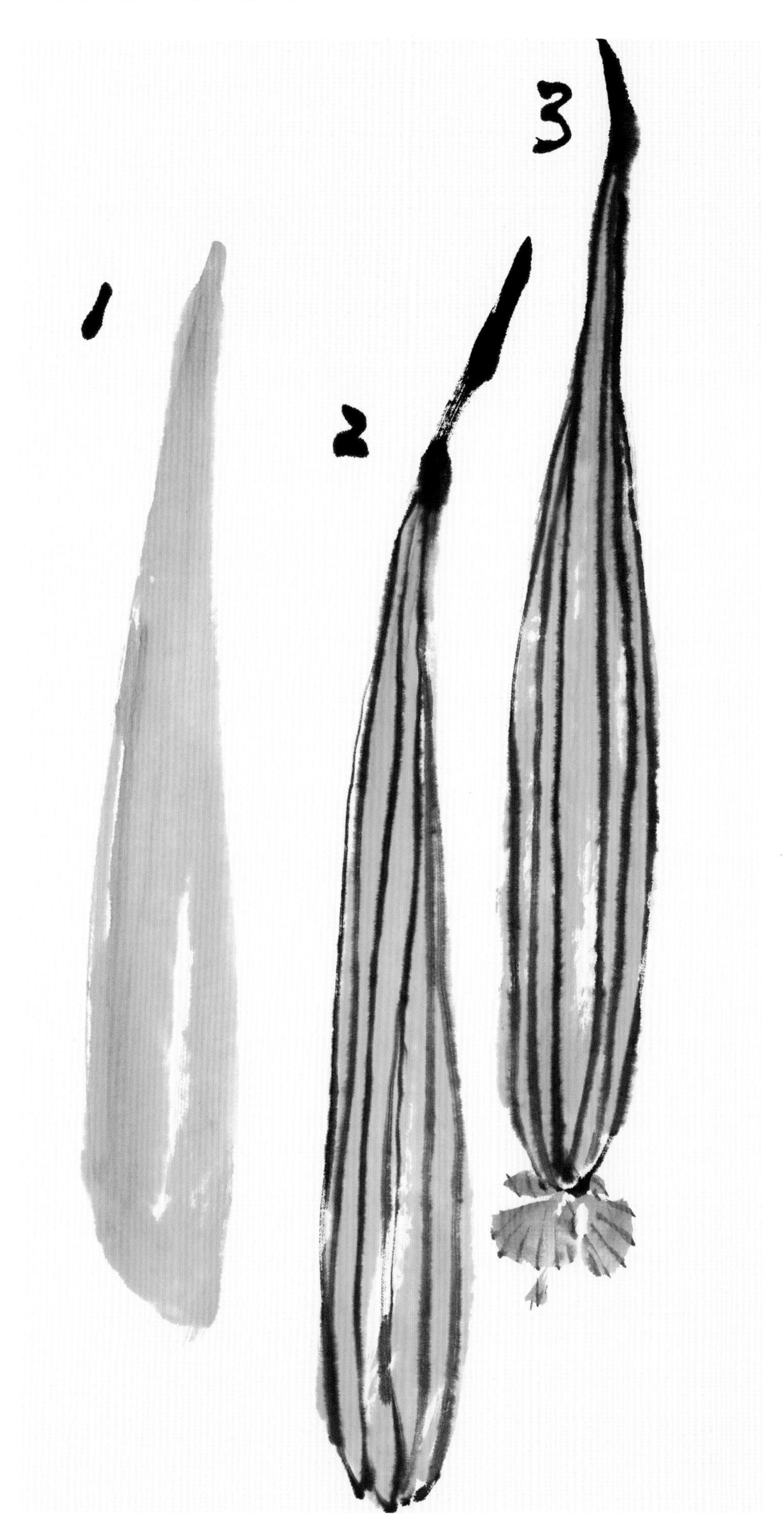

葫芦画法：没骨法（点写法）和勾勒法。用绿色画嫩瓜，用赭石点墨画干老的瓜，（勾勒法）用干墨勾老瓜的轮廓，再用赭色画暗部和衬托，在造型上葫芦可使用变形的画法。

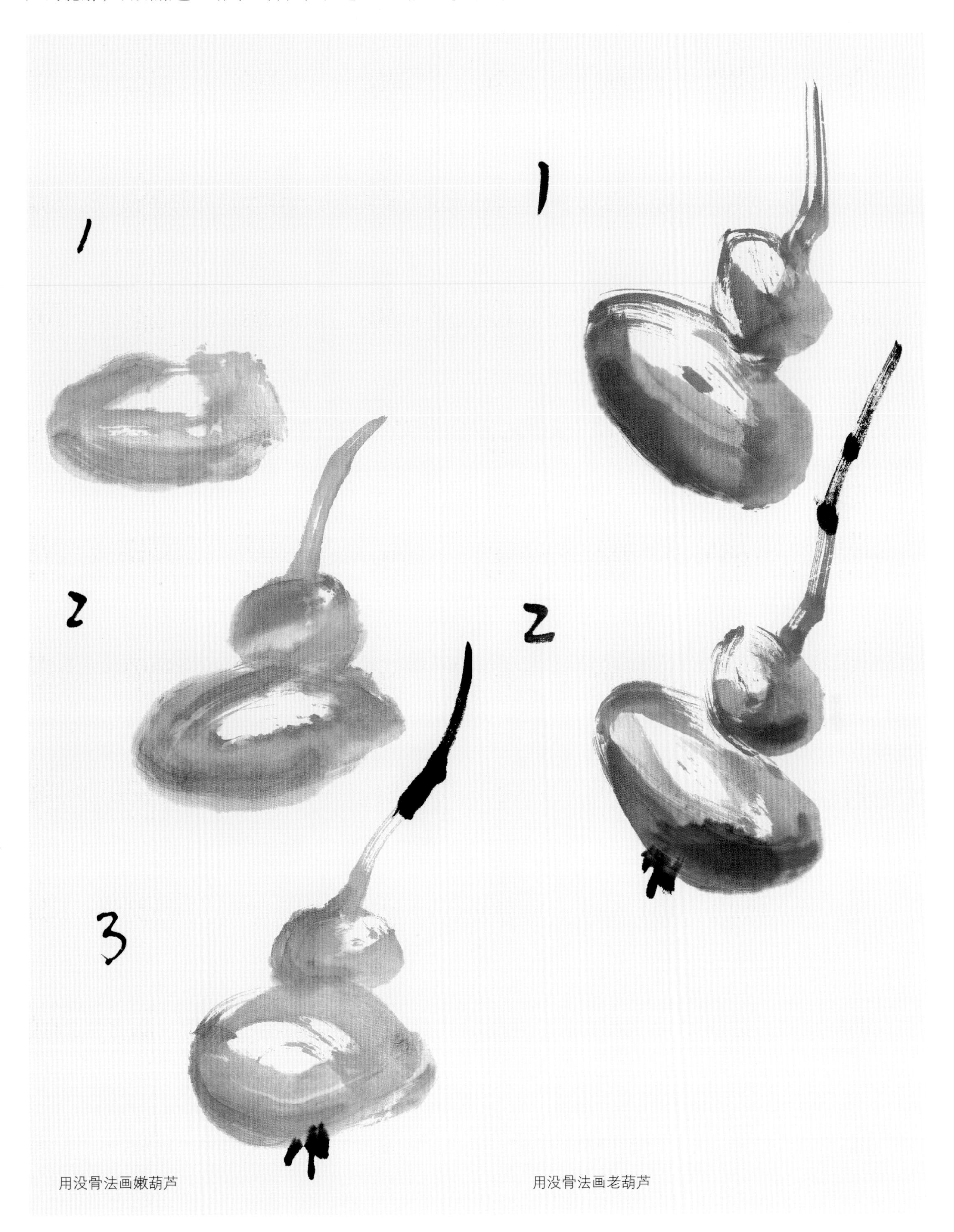

用没骨法画嫩葫芦

用没骨法画老葫芦

用勾勒法画老葫芦

葡萄画法：葡萄画法很多，名家各派具有不同的特点，但不外是没骨法（点写法）和勾勒法两大类型，在此举一些画法供大家参考。

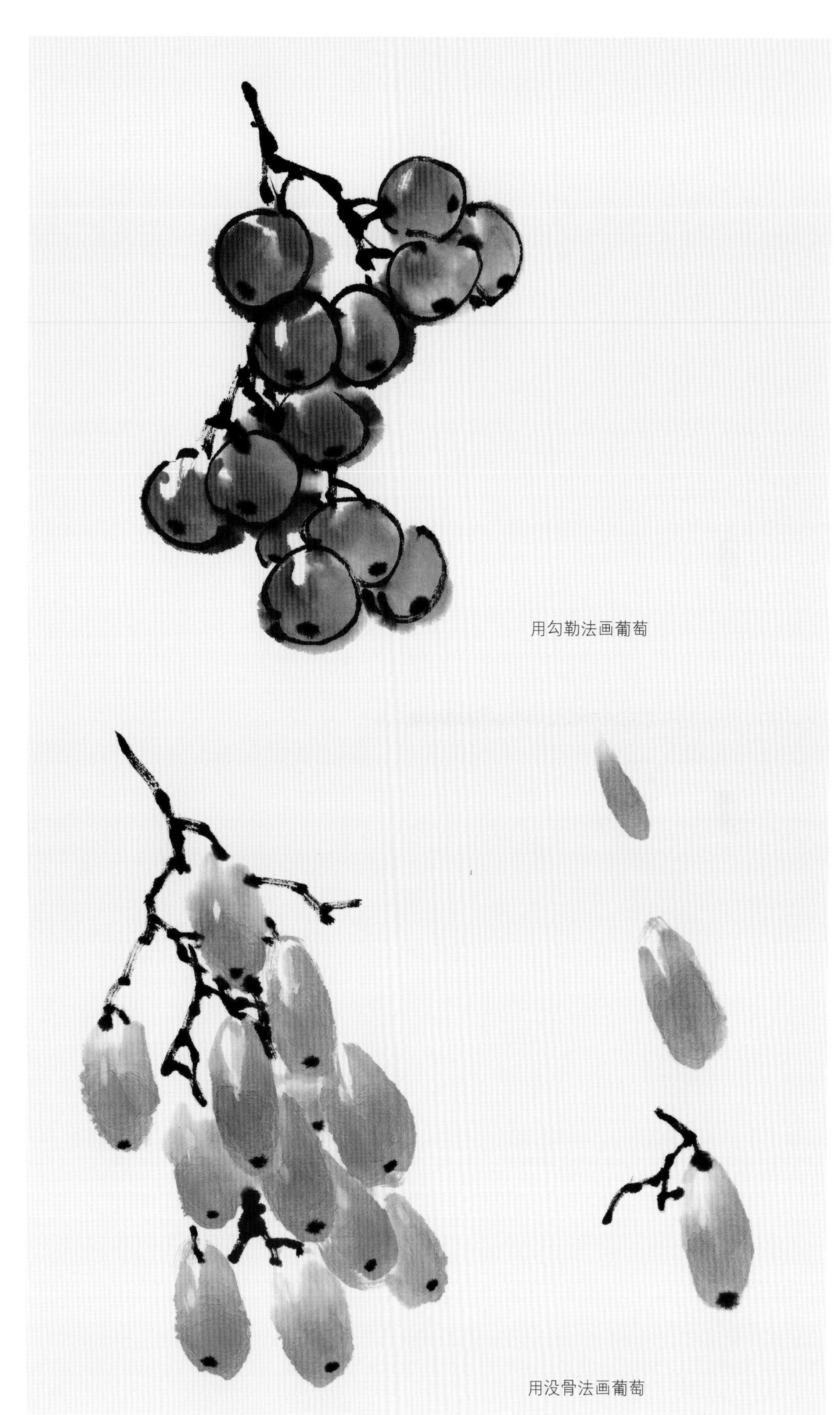

用勾勒法画葡萄

用没骨法画葡萄

三、藤本创作步骤

（一）紫藤

步骤一　用酞菁蓝加曙红，调出紫色（也可用花青调曙红或胭脂），画出有浓淡变化和疏密变化的花。

步骤二　花青加藤黄调出绿色，然后笔尖点墨分组画叶子，每片叶子都应有浓淡变化。

步骤三　用墨画叶脉，用较嫩绿色画出花枝，使花和叶联系起来。

步骤四　用有浓淡变化的墨色画出枝条，注意枝条之间互相穿插与疏密、大小的变化及墨色的浓淡干湿变化。

步骤五　用嫩绿色点曙红画嫩叶嫩芽，用白色加藤黄点花的斑纹，最后题款盖章，作品完成。

（二）凌霄花

步骤一 先画藤，大的藤可用大笔侧锋和中锋结合进行，小藤可用较小笔中锋画出，运笔要大胆灵活，画出有大小变化和疏密有致的线条，墨色要求有干湿变化、浓淡变化。

步骤二 用笔先调朱磦，笔尖点曙红画花和花苞，要求所画的花与花苞要有疏密变化，花的方向也要有所变化，不要同向以免呆板。用胭脂画出花脉，用花青藤黄调出深绿色，笔尖点墨画叶子，叶子要求一组一组处理，每组叶子的形状要有所变化，不可雷同，并用墨勾叶脉。

步骤三 用花青加藤黄调嫩绿色，笔尖点曙红画出花托、花枝，用笔要如写字写出花托、花枝形状，并补充一些枝条，让花、叶、枝联系起来。

步骤四 用较淡的色和墨画第二层次的花、叶、藤，以增加画面的层次。

步骤五　用嫩绿点曙红画出嫩叶、嫩芽并点花心，使画面更为完整。收拾画面，如增加一些枝条，加画小鸟等使画面更为丰富生动。最后题款盖章，作品完成。

（三）牵牛花

步骤一　用笔先点二青，笔尖调酞菁蓝，画出几组花与花苞，每组花的数量与所占的面积不要相同，每组花之间的距离也应有所不同。注意花与花之间的疏密变化和方向上的变化，每笔花瓣的用色也应有浓淡变化。

步骤二　先调淡墨，笔尖头点浓墨画叶子，先画较浓的叶子，然后画较淡的叶子。画叶子也要分组进行，每组叶片的数量不要相同，每组叶子的形状也要有变化，这样画面才显得活泼。

步骤三　用浓墨中锋或拖笔画出牵牛花的藤，因花和叶墨色较湿，藤的用笔可干一些以形成干湿对比。用浓墨画花托等，使画面上的花枝和叶子联系在一起。

步骤四　收拾画面，根据构图的需要补充一些花和枝条，使画面完整和丰富。

步骤五　题款盖章，作品完成。

（四）葫芦

步骤一　用赭石加墨调出赭墨色（也可用朱磦加墨调出赭石色），然后笔头点墨画出几组秋叶，用笔略干才能表现秋叶的感觉，注意每组叶子之间的差别。

步骤二　先用焦墨画出葫芦的形状，这里葫芦造型上采取了变形的画法，用赭石色随意画出葫芦的暗部，并用淡赭石色衬托葫芦的边缘，使葫芦比较明显。

步骤三　用焦墨画出瓜藤，注意线条的大小和疏密的变化。

步骤四　收拾画面，用较淡的墨色画第二层次的藤和叶子，原来用焦墨画的藤条也可用淡赭色染一次，使画面调子更统一。增加小鸟使画面更生动。

步骤五　题款盖章，作品完成。

四、范画与欣赏

黄忠耿　花蔓宜阳春
69 cm×69 cm

黄忠耿　花开时节
69 cm × 69 cm

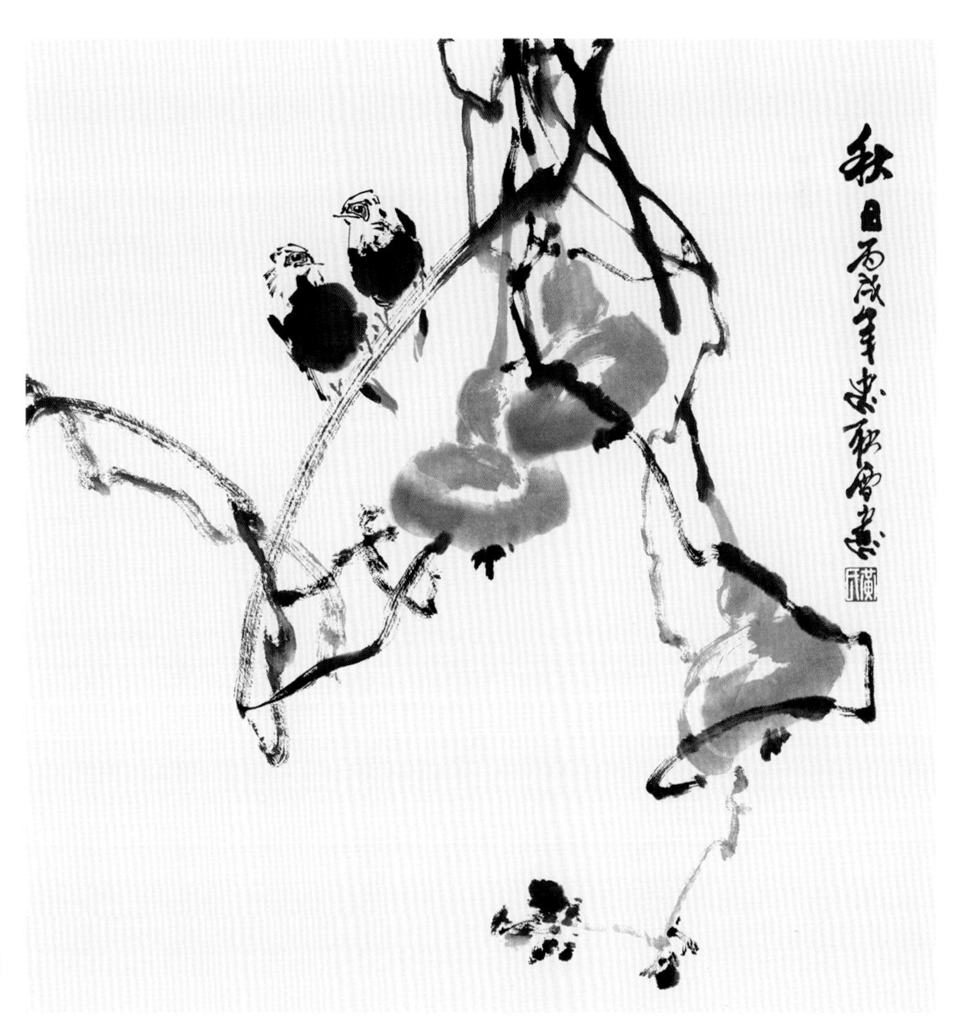

黄忠耿　秋日
69 cm × 69 cm

黄忠耿　秋露
72 cm×69 cm

黄忠耿　秋实
52 cm×50 cm

黄忠耿　盛夏
69 cm×69 cm

历代藤本诗词选

咏凌霄花（唐·白居易）

有木名凌霄，擢秀非孤标。
偶依一株树，遂抽百尺条。
托根附树身，开花寄树梢。
自谓得其势，无因有动摇。
一旦树摧倒，独立暂飘摇。
疾风从东起，吹折不终朝。
朝为拂云花，暮为委地樵。
寄言立身者，勿学柔弱苗。

黄忠耿　收获时节
125 cm×35 cm

黄忠耿　秋韵
138 cm×35 cm

黄忠耿　凌云曲
70 cm×50 cm

黄忠耿　白藤萝条幅之一
138 cm×35 cm

黄忠耿　白藤萝条幅之二
138 cm×35 cm

黄忠耿　野趣图
69 cm×72 cm

历代藤本诗词选

瞻木轩（明·高启）

凌霄托高树，引蔓日已长。
缠绵共春荣，幽花蔼敷芳。
高树忽见伐，无依向风霜。
亭亭还自持，柔枝喜能强。
君子贵独立，倚附非端良。
览物成感叹，为君赋新章。

黄忠耿　紫藤条幅之一
138 cm × 35 cm

黄忠耿　紫藤条幅之二
138 cm × 35 cm

黄忠耿　聚
69 cm×72 cm

历代藤本诗词选

春暮思平泉杂咏二十首·潭上紫藤（唐·李德裕）

故乡春欲尽，一岁芳难再。
岩树已青葱，吾庐日堪爱。
幽溪人未去，芳草行应碍。
遥忆紫藤垂，繁英照潭黛。

黄忠耿　紫藤条幅之三
138 cm × 35 cm

黄忠耿　紫藤条幅之四
138 cm × 35 cm

黄忠耿　野趣
64 cm×60 cm

历代藤本诗词选

都尉山亭（唐·杜审言）

紫藤萦葛藟，绿刺罥蔷薇。
下钓看鱼跃，探巢畏鸟飞。
叶疏荷已晚，枝亚果新肥。
胜迹都无限，只应伴月归。

黄忠耿　村前小景
69 cm×72 cm

黄忠耿　收获时节
69 cm×69 cm

黄忠耿　村旁
69 cm×69 cm

历代藤本诗词选

篱上牵牛花（宋·梅尧臣）

楚女雾露中，篱上摘牵牛。
花蔓相连延，星宿光未收。
采之一何早，日出颜色休。
持置梅卤间，染姜奉盘羞。
烂如珊瑚枝，恼翁牙齿柔。
齿柔不能食，粱肉坐为雠。

黄忠耿　硕果
69 cm×69 cm

黄忠耿　野趣
69 cm×69 cm

黄忠耿　秋风
69 cm×69 cm

历代藤本诗词选

牵牛花（宋·秦观）

银汉初移漏欲残，步虚人依玉栏杆。
仙衣染得天边碧，乞与人间向晓看。

黄忠耿　秋韵
69 cm×69 cm

黄忠耿　秋趣
69 cm×69 cm

黄忠耿　春意浓

60 cm×64 cm

历代藤本诗词选

绿萝（唐·杜牧）

绿萝萦数匝，本在草堂间。
秋色寄高树，昼阴笼近山。
移花疏处种，斸药困时攀。
日暮微风起，难寻旧径还。

黄忠耿　凌霄条幅
138 cm × 35 cm

黄忠耿　夏日
138 cm × 35 cm

黄忠耿　深秋时节
69 cm×72 cm

历代藤本诗词选

牵牛花·其二（宋·杨万里）

晓思欢欣晚思愁，绕篱萦架太娇柔。
木犀未发芙蓉落，买断秋风恣意秋。

黄独峰　老藤偏有凌云志
97 cm×59 cm　1978年

历代藤本诗词选

凌霄花（宋·陆游）

庭中青松四无邻，凌霄百尺依松身。
高花风堕赤玉盏，老蔓烟湿苍龙鳞。
古来豪杰少人知，昂霄耸壑宁自期。
抱才委地固多矣，今我抚事心伤悲。

黄独峰　紫玉乳圆秋结穗
135 cm×68 cm　1982年

历代藤本诗词选

紫藤树（唐·李白）

紫藤挂云木，花蔓宜阳春。
密叶隐歌鸟，香风留美人。

黄独峰　紫藤群雀
150 cm × 82 cm　1980年